Kramer

Ich komme mit

Ich komme mit

Mein Messbuch

mit Texten von Pia Biehl
und Zeichnungen von Klaas Verplancke

Verlag Katholisches Bibelwerk
Tyrolia Verlag

Hallo und willkommen!

Schön, dass du zu Besuch bist in der Kirche, dem Haus Gottes.
Schau dich nur um!
Das Fest, das wir hier jetzt feiern, ist eine ganz spannende Angelegenheit, mindestens so spannend wie der Besuch von Oma und Opa bei euch.

Was der Besuch von Oma und Opa mit dem Gottesdienst
jetzt zu tun hat?
Eine ganze Menge.
Lass dich einfach
überraschen!

Na, neugierig? Dann lies weiter.
Auf der linken Seite findest du
die Texte, die in der Messe immer so
– oder so ähnlich – gesprochen werden.
Da lernst du dann beiläufig,
was die Großen so singen
und beten und was die Gemeinde
dem Priester antwortet.
Gute Sache, oder?

Auf der rechten Seite lüften wir das
Geheimnis, was die Feier
der Hl. Messe mit dem Besuch
von Oma und Opa zu tun hat.

Eröffnung

Kreuzzeichen und Segenswunsch

Im Namen des Vaters
und des Sohnes
und des Heiligen Geistes.
> **Amen.**

Die Gnade unseres Herrn Jesus Christus,
die Liebe Gottes, des Vaters,
und die Gemeinschaft des Heiligen Geistes
sei mit euch.

Oder

Der Herr sei mit euch.
> **Und mit deinem Geiste.**

Einführung

Heute ist ein besonderer Tag!
Ihr habt Oma und Opa eingeladen.
Nun sind sie endlich da!
Ihr freut euch riesig
und begrüßt sie
mit großem Hallo.

So ähnlich ist es auch hier
in der Messe.
Gott lädt uns ein und freut sich,
dass **du** mitgekommen bist.
Und die Feier der Hl. Messe beginnt
auch mit einer Begrüßung,

dem Kreuzzeichen
und dem Gruß der Kirche:

Jesus ist jetzt hier bei uns.

Das allgemeine Schuldbekenntnis und das Kyrie

Brüder und Schwestern,
damit wir die heiligen Geheimnisse in rechter Weise
feiern können, wollen wir bekennen, dass wir
gesündigt haben.

**Ich bekenne Gott, dem Allmächtigen,
und allen Brüdern und Schwestern,
dass ich Gutes unterlassen
und Böses getan habe
– ich habe gesündigt
in Gedanken, Worten und Werken –
durch meine Schuld, durch meine Schuld,
durch meine große Schuld.
Darum bitte ich die selige Jungfrau Maria,
alle Engel und Heiligen
und euch, Brüder und Schwestern,
für mich zu beten bei Gott unserem Herrn.**

Der allmächtige Gott erbarme sich unser.
Er lasse uns die Sünden nach
und führe uns zum ewigen Leben.

Amen.

So richtig miteinander feiern
und fröhlich sein können wir nur,
wenn wir uns mit den anderen
vertragen. Das ist aber gar nicht immer
so einfach. Der Streit gestern
mit der Freundin oder dem Bruder.
Die Zankerei eben am Frühstückstisch ...

Der liebe Gott möchte,
dass wir fröhlich und ohne Streitigkeiten
Gottesdienst feiern. Deshalb sagen wir ihm
jetzt all das, was nicht so in Ordnung war.

Ich glaube,
dass war nicht so toll,
wie ich mich da verhalten habe.
Es tut mir leid, lieber Gott.

Herr, erbarme dich unser.
Herr, erbarme dich unser.

Christus, erbarme dich unser.
Christus, erbarme dich unser.

Herr, erbarme dich unser.
Herr, erbarme dich unser.

Es ist schön, lieber Gott,
dass ich dir alles sagen kann,
dass du mich verstehst
und mir verzeihst.

Gloria

Ehre sei Gott in der Höhe
und Friede auf Erden den Menschen seiner Gnade.
Wir loben dich,
wir preisen dich, wir beten dich an,
wir rühmen dich und danken dir,
denn groß ist deine Herrlichkeit:
Herr und Gott, König des Himmels,
Gott und Vater, Herrscher über das All,
Herr, eingeborener Sohn, Jesus Christus.
Herr und Gott, Lamm Gottes, Sohn des Vaters,
du nimmst hinweg die Sünde der Welt:
erbarme dich unser;
du nimmst hinweg die Sünde der Welt:
nimm an unser Gebet;
du sitzest zur Rechten des Vaters:
erbarme dich unser.
Denn du allein bist der Heilige,
du allein der Herr,
du allein der Höchste:
Jesus Christus,
mit dem Heiligen Geist,
zur Ehre Gottes des Vaters.
Amen.

GLORIA singen wir jetzt.
Ehre sei Gott.

Wir freuen uns,
dass wir hier sein dürfen,
dass Gott uns eingeladen hat
in sein Haus,
dass wir hier gemeinsam
Gottesdienst feiern dürfen.

Als Oma und Opa ankamen,
hast du „Hurra" gerufen,
weil du dich so gefreut hast.
Hier in der Kirche rufen wir nicht „Hurra",
sondern singen „Gloria",
gemeint ist dasselbe.

Tagesgebet

Der Priester lädt zum Gebet ein.
Er singt oder spricht: Lasset uns beten.
Das nun folgende Gebet beschließt die
Gemeinde mit: **Amen.**

Gleich kommt in der Messe
ein Teil, bei dem es heißt:
Ohren spitzen und gut zuhören!
Das Gebet, das der Priester nun spricht,
will uns auf dieses Zuhören vorbereiten.
Wir sollen mit unseren Gedanken ganz
bei dem sein, was vorgelesen wird.

Lieber Gott, öffne meine Ohren
und mach mich hellhörig
für das, was du mir sagen willst.

Wortgottesdienst

Die erste Lesung stammt aus
dem Alten Testament,
oder, in der Osterzeit, aus der Apostelgeschichte.

Zweite Lesung

Es wird vorgelesen aus den Briefen
des Apostels Paulus, aus den Briefen anderer Apostel
oder aus der Offenbarung des Johannes.

Erinnerst du dich daran, wie du mit Opa auf den Dachboden geklettert bist und ihr es euch zwischen all den Kisten, Körben und Möbeln auf dem alten Sofa bequem gemacht habt?

Opa hat dir aus einem alten Buch eine ganz spannende Geschichte vorgelesen; und das, was du nicht verstanden hast, hat dein Opa dir nachher erklärt.

Hier in der Messe gibt es nun auch eine spannende Geschichte aus einem Buch zu hören, das schon vor langer Zeit geschrieben wurde.

Die Geschichte nennt man Lesung und das Buch ist die Bibel.

Das Alte Testament ist geschrieben worden, lange bevor Jesus auf die Welt kam. Die Briefe des Apostels Paulus erzählen aus den ersten christlichen Gemeinden.

Evangelium

Der Priester liest nun das Evangelium.

Vorher spricht er:
>Der Herr sei mit euch.

Die Gemeinde antwortet:
>**Und mit deinem Geiste.**

Priester:
>Aus dem heiligen Evangelium nach …

Gemeinde:
>**Ehre sei dir, o Herr.**

Jetzt liest er aus einem der vier Evangelien,
die vom Leben Jesu erzählen.
Am Ende sagt er:
>Evangelium unseres Herrn Jesus Christus.

Gemeinde:
>**Lob sei dir, Christus.**

Jetzt wird es noch mal spannend!
Alle Leute stehen auf und der Priester
liest die folgende Geschichte aus dem
Evangelium vor. Sie erzählt vom Leben Jesu.
Die Evangelisten Matthäus, Markus, Lukas und
Johannes haben damals das aufgeschrieben,
was wir in der Bibel über Jesus nachlesen können.
Aber nun hör erst mal,
was sie zu berichten haben.

Predigt

In der Predigt, die nun an der Reihe ist,
macht der Priester eigentlich genau das,
was Opa auf dem Kuschelsofa auch gemacht hat:
Er erklärt die Geschichte, die er eben vorgelesen hat.

Zur Zeit Jesu war vieles ja noch ganz anders,
als es heute zu unserer Zeit ist.
Deshalb ist es oft gar nicht so leicht, zu verstehen,
was im Evangelium aufgeschrieben ist.

Der Priester versucht nun,
diese Geschichte auf unsere Zeit
zu übertragen, damit wir Menschen
hier und heute auch verstehen,
was Jesus sagen will.

Jesus hat damals vor allem denen geholfen,
die von den anderen Menschen verachtet wurden,
auf die mit Fingern gezeigt wurde.
Er hat diesen Menschen zugehört,
hat mit ihnen gegessen, hat Kranke geheilt.
Er hat gezeigt: Alle Menschen sind mir wichtig!

Ganz besonders gern hatte Jesus die Kinder.
Selbst seinen Jüngern hat er den Kopf gewaschen,
als sie die Kinder wegschicken wollten:
„Lasst die Kinder zu mir kommen!" hat er gesagt
und die Kinder dann in seine Arme genommen
und gesegnet.

Deshalb freut er sich besonders, wenn auch heute
die Kinder mit in die Kirche kommen.

Das Apostolische Glaubensbekenntnis

Ich glaube an Gott,
den Vater, den Allmächtigen,
den Schöpfer des Himmels und der Erde,
und an Jesus Christus,
seinen eingeborenen Sohn, unseren Herrn,
empfangen durch den Heiligen Geist,
geboren von der Jungfrau Maria,
gelitten unter Pontius Pilatus,
gekreuzigt, gestorben und begraben,
hinabgestiegen in das Reich des Todes,
am dritten Tage auferstanden von den Toten,
aufgefahren in den Himmel;
er sitzt zur Rechten Gottes,
des allmächtigen Vaters:
von dort wird er kommen,
zu richten die Lebenden
und die Toten.

Wir bekennen unseren Glauben.
Bekennen heißt, laut sagen: „Ja, ich glaube."
Ich glaube, dass der liebe Gott mich so lieb hat
und beschützt, wie Mama und Papa mich lieb
haben und beschützen. Ich glaube, dass der liebe
Gott alles gemacht hat, den Himmel, die Erde und
alles, was auf ihr wächst und lebt.

Jesus ist auf diese Welt gekommen, ganz klein;
so wie ich, als ich geboren wurde. Maria war seine
Mama. Er hat den Menschen viel vom lieben Gott
erzählt, hat vielen geholfen und wurde doch von
ihnen ans Kreuz geschlagen und ist gestorben.

Aber er ist auferstanden und hat
den Menschen neue Hoffnung gegeben.

Ich glaube an den Heiligen Geist,
die heilige katholische Kirche,
Gemeinschaft der Heiligen,
Vergebung der Sünden,
Auferstehung der Toten
und das ewige Leben. Amen.

Ich freue mich so, dass Jesus mein Freund ist,
dass ich auch anderen gerne von ihm erzähle.
Ich glaube daran, dass die Kirche ein Haus aus
bunten Steinen ist, und wir alle, Mama, Papa, Oma,
Opa, meine Geschwister und Freunde, alle hier,
solche bunten, lebendigen Steine sind.
Ich glaube daran, dass der liebe Gott uns das
verzeiht, was wir falsch gemacht haben,
weil er uns ganz lieb hat. Amen.

Fürbitten

Gott ist ein guter Vater.
Wir dürfen vertrauensvoll zu ihm beten:
Für uns selbst, aber auch für andere Menschen,
besonders für Menschen, die in Not sind.

Nach jeder Fürbitte sagen wir:
> **Christus erhöre uns.**

Oder wir singen:
> **Gott, unser Vater: Wir bitten dich, erhöre uns.**

Die Fürbitten sind eine Art Wunschliste.
Wir dürfen dem lieben Gott unsere Bitten sagen.
Hör einfach mal zu, was heute so auf
der Liste steht.

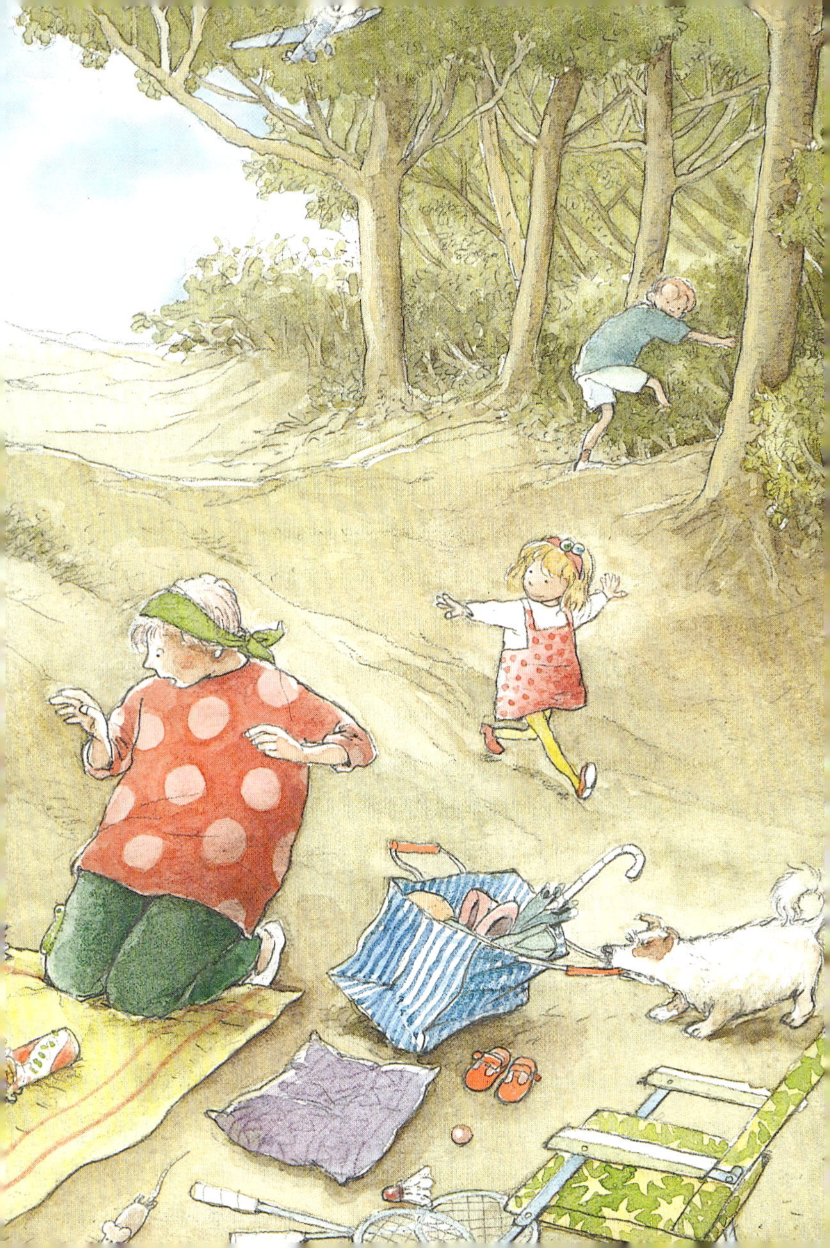

Eucharistiefeier – das heißt Danksagung

*Die Gaben von Brot und Wein werden
zum Altar getragen.
Der Priester betet:*

Gepriesen bist du, Herr, unser Gott, Schöpfer der Welt.
Du schenkst das Brot,
die Frucht der Erde und der menschlichen Arbeit.
Wir bringen dieses Brot vor dein Angesicht,
damit es uns das Brot des Lebens werde.

Gepriesen bist du, Herr, unser Gott, Schöpfer der Welt.
Du schenkst uns den Wein, die Frucht des Weinstocks
und der menschlichen Arbeit.
Wir bringen diesen Kelch vor dein Angesicht,
damit er uns der Kelch des Heiles werde.

Mama und Oma haben den Tisch
festlich gedeckt für euer Essen.
Genau das macht der Priester
jetzt auch.
Er deckt den Tisch
für die Mahlfeier.

Hochgebet

Der Herr sei mit euch.
> **Und mit deinem Geiste.**

Erhebet die Herzen.
> **Wir haben sie beim Herrn.**

Lasset uns danken dem Herrn, unserem Gott.
> **Das ist würdig und recht.**

Darum preisen wir dich, danken dir
und singen das Lob deiner Herrlichkeit:

Heilig, heilig, heilig
Gott, Herr aller Mächte und Gewalten.
Erfüllt sind Himmel und Erde
von deiner Herrlichkeit.
Hosanna in der Höhe.
Hochgelobt sei,
der da kommt im Namen des Herrn.
Hosanna in der Höhe.

Nun spricht der Priester die Worte, die Jesus
beim Abendmahl gesagt hat.

Am Abend vor seinem Tod hat Jesus
mit seinen Freunden ein Fest gefeiert und
zum letzten Mal mit ihnen gegessen.
Er hat ihnen gesagt: Ich muss bald sterben,
aber ich möchte, dass ihr immer an mich denkt,
wenn ihr Brot und Wein miteinander teilt.

Geheimnis des Glaubens

**Deinen Tod, o Herr, verkünden wir,
und deine Auferstehung preisen wir,
bis du kommst in Herrlichkeit.**

Durch ihn und mit ihm und in ihm ist dir, Gott,
allmächtiger Vater, in der Einheit des Heiligen Geistes
alle Herrlichkeit und Ehre jetzt und in Ewigkeit.
Amen.

So, wie die Freunde Jesu später noch oft dieses
Mahl miteinander gefeiert haben, genau so
feiern auch wir heute dieses Mahl miteinander.
Wir teilen das Brot, ganz so, wie Jesus es uns
aufgetragen hat.
Und wir wissen: Jetzt ist Jesus bei uns,
hier in Brot und Wein.

Kommunionfeier

Gebet des Herrn: Das Vaterunser

Wir heißen Kinder Gottes und sind es. Darum beten wir voll Vertrauen:

oder

Lasset uns beten,
wie der Herr uns zu beten gelehrt hat.

**Vater unser im Himmel,
geheiligt werde dein Name.
Dein Reich komme.
Dein Wille geschehe,
wie im Himmel, so auf Erden.
Unser tägliches Brot gib uns heute.
Und vergib uns unsere Schuld,
wie auch wir vergeben unseren Schuldigern.
Und führe uns nicht in Versuchung,
sondern erlöse uns von dem Bösen.**

Bevor ihr zu Hause mit dem Essen beginnt, sprecht
ihr gemeinsam das Tischgebet.
Das tun wir hier auch.
Das Vaterunser hat Jesus schon mit seinen Jüngern
gebetet. Du kannst es sicher.

Erlöse uns Herr, allmächtiger Vater, von allem Bösen und gib Frieden in unseren Tagen. Komm uns zu Hilfe mit deinem Erbarmen und bewahre uns vor Verwirrung und Sünde, damit wir voll Zuversicht das Kommen unseres Erlösers Jesus Christus erwarten. **Denn dein ist das Reich und die Kraft und die Herrlichkeit in Ewigkeit. Amen.**

Friedensgebet

Der Herr hat zu seinen Aposteln gesagt: Frieden hinterlasse ich euch, meinen Frieden gebe ich euch.
Deshalb bitten wir: Herr Jesus Christus, schau nicht auf unsere Sünden, sondern auf den Glauben deiner Kirche und schenke ihr nach deinem Willen Einheit und Frieden.

Der Friede des Herrn sei alle Zeit mit euch.
Und mit deinem Geiste.

**Lamm Gottes, du nimmst hinweg die Sünde der Welt. Erbarme dich unser.
Lamm Gottes, du nimmst hinweg die Sünde der Welt. Gib uns deinen Frieden.**

Das gemeinsame Essen macht nur Spaß, wenn sich alle vertragen. Zank und Streit am Tisch verderben allen den Appetit. Deshalb bitten wir Jesus darum, dass er uns hilft, überall Frieden zu halten.

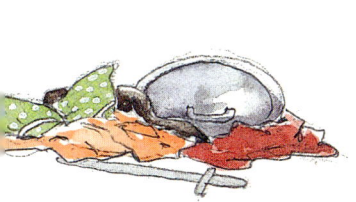

Kommunion

Der Priester hält ein Stück Brot hoch und betet:
Seht das Lamm Gottes,
das hinwegnimmt die Sünde der Welt.

Gemeinsam mit der Gemeinde betet er dann:
Herr, ich bin nicht würdig, dass du eingehst unter mein Dach,
aber sprich nur ein Wort, so wird meine Seele gesund.

Beim Austeilen des Brotes sagt der Priester:
Der Leib Christi.
Die Menschen, die das Brot empfangen, sagen:
Amen.

Ja so ist es. Dieses Brot ist Leib Christi.

Das gemeinsame Essen mit Oma und Opa ist immer besonders schön. Mama kocht was Leckeres, der Tisch ist festlich gedeckt, und alle haben Spaß. Papa holt eine Flasche Wein aus dem Keller, und es wird viel erzählt und gelacht.

So ähnlich ist es ja auch hier in der Messe. Wir feiern das Mahl an einem schön gedeckten Tisch. Nur ist es hier so, dass sich die Gäste nicht miteinander unterhalten, sondern mit dem lieben Gott.
Deine Eltern, deine Großeltern und vielleicht auch deine älteren Geschwister haben das hl. Brot empfangen und beten jetzt still.

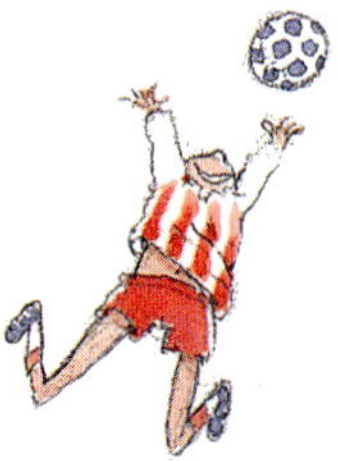

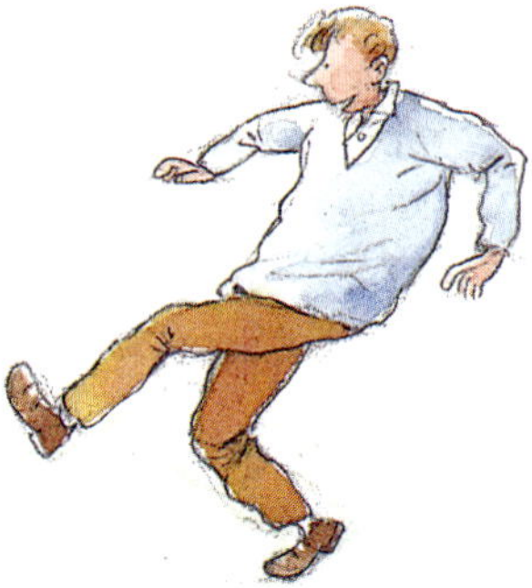

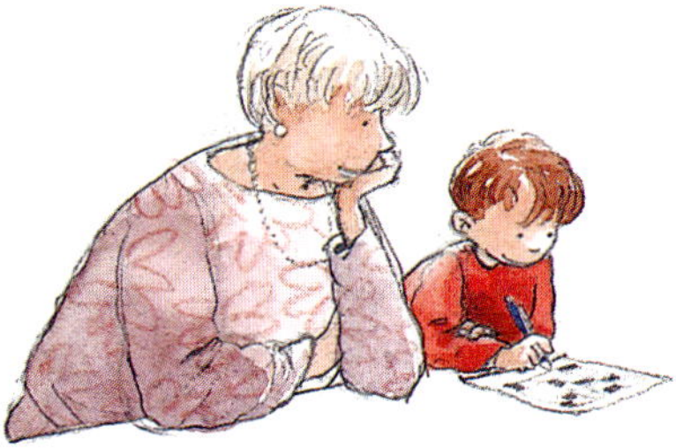

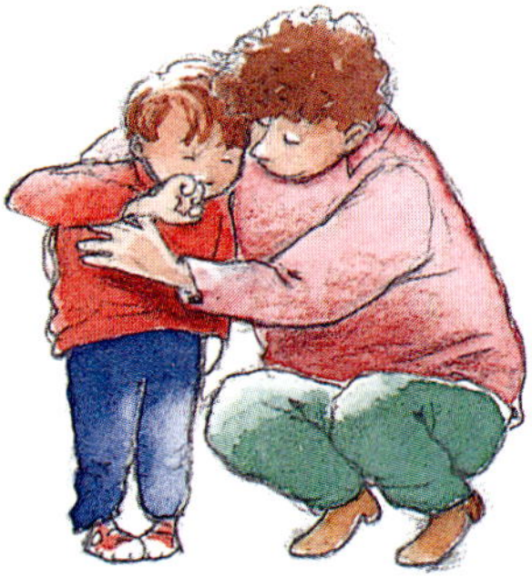

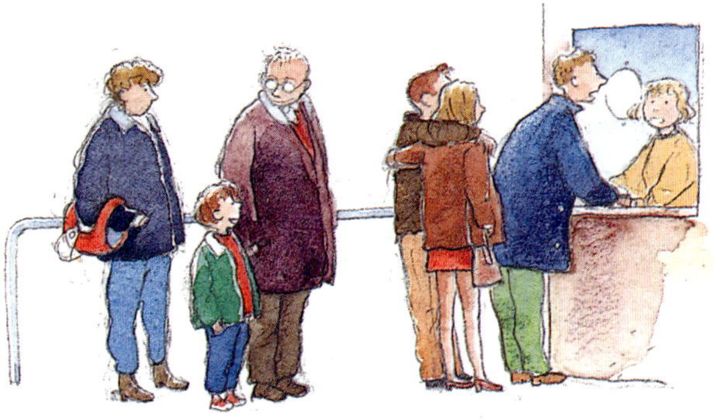

Beten heißt, mit Gott sprechen.
Das kannst du auch!
Du darfst nämlich dem lieben Gott alles erzählen:
Worüber du dich freust, was dich ärgert,
was dir Angst macht.
Er hört dir zu. Ganz bestimmt!

Vielleicht willst du dem lieben Gott auch
Danke sagen.
Wofür?
Na, vielleicht für den schönen Tag,
dass ihr so viel Spaß mit Oma und Opa hattet.
Dass Mama da ist, wenn du traurig bist,
dass Papa mit dir Fußball spielt ...
Dir fällt da bestimmt noch anderes dazu ein.

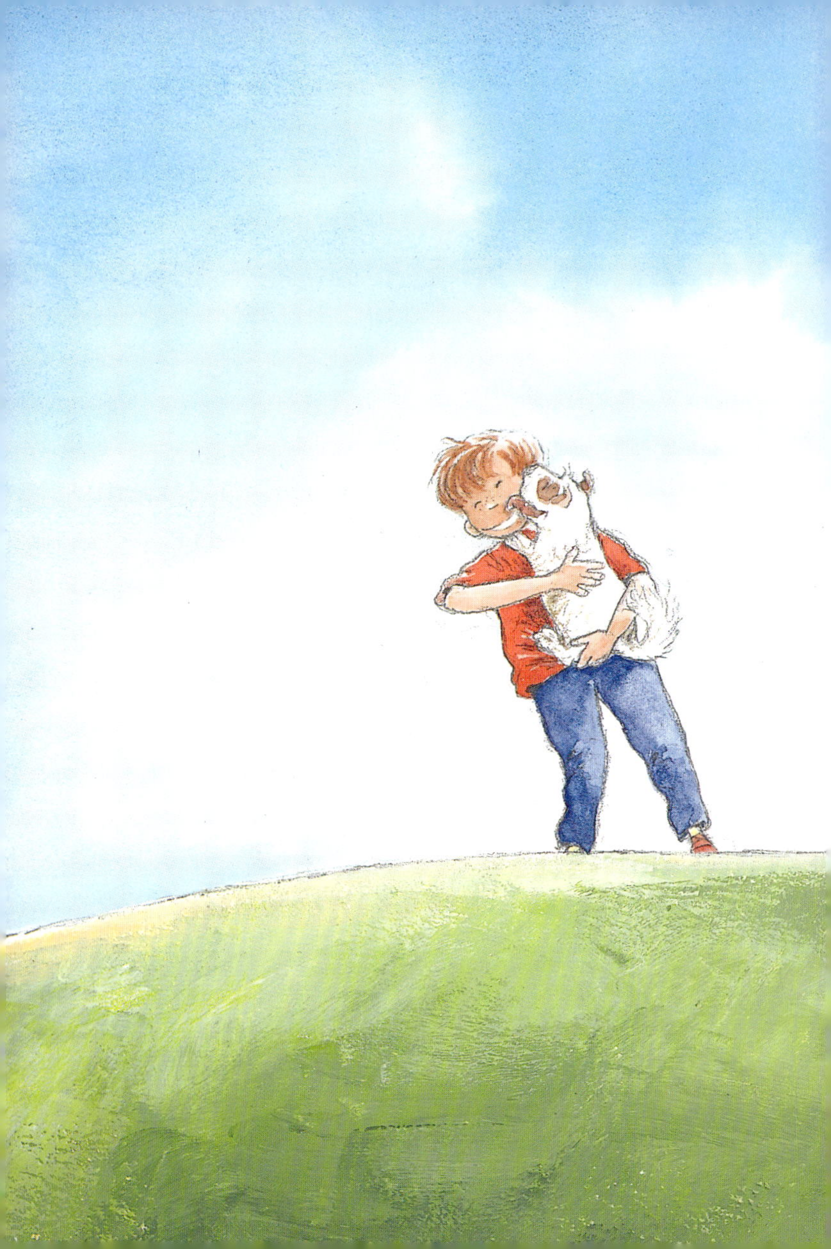

Das ist doch toll,
dass der liebe Gott allen zuhört.
Und vielleicht hörst du auch,
wenn er mit **dir** spricht.

Gebet nach der Kommunion

*Der Priester spricht
nach der Kommunion
ein Dankgebet.
Manchmal wird hier auch ein Danklied gesungen.*

Wenn ihr zu Hause mit dem Essen fertig
seid, wird der Tisch abgeräumt, und ihr
sprecht ein Dankgebet. Siehst du,
hier in der Kirche
ist das nicht anders.

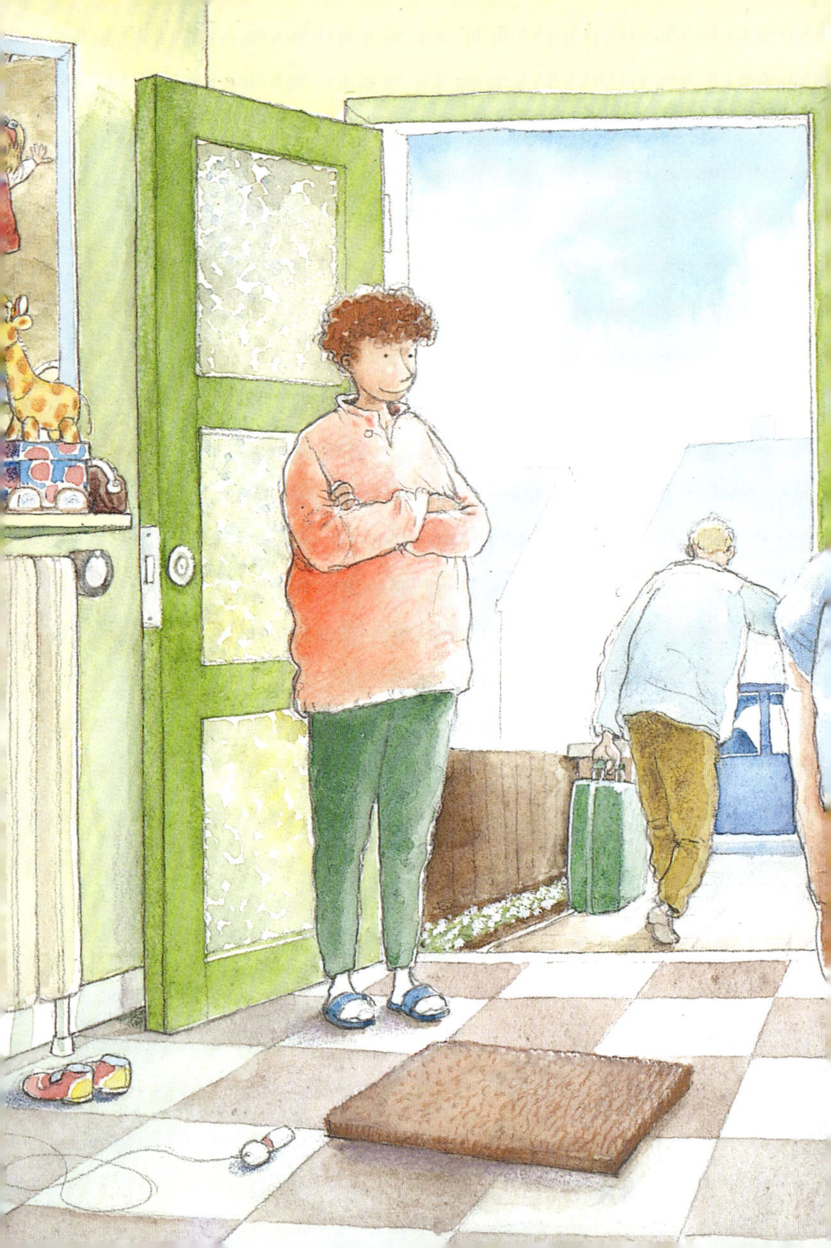

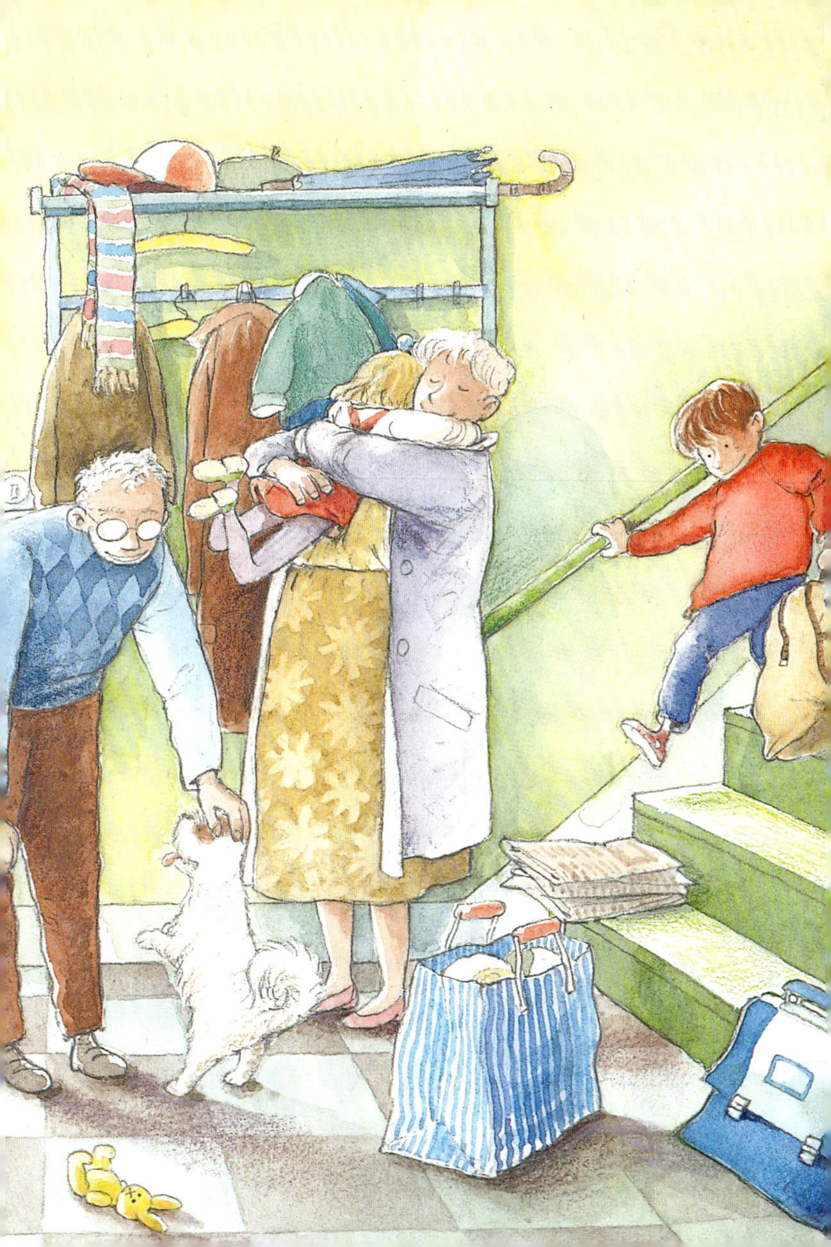

Entlassung – Aussendung

Der Herr sei mit euch.
Und mit deinem Geiste.

Es segne euch der allmächtige Gott,
der Vater, der Sohn und der Heilige Geist.
Amen.

Gehet hin in Frieden.
Dank sei Gott, dem Herrn.

Schade, Oma und Opa reisen schon wieder ab.
Die Sachen sind gepackt, und es heißt Abschied
nehmen. Du bist ein bisschen traurig, dass du
schon wieder „Tschüs!" sagen musst.
Oma nimmt dich ganz fest in den Arm.
„Mach's gut und pass auf dich auf!"
Oma hat dich lieb, und du hast sie auch
ganz toll lieb.

Der Gottesdienst ist nun auch zu Ende.
Tschüs, lieber Gott, bis zum nächsten Mal!
Ich freue mich.
Der Priester sagt es mit anderen Worten.
Er erbittet den Segen Gottes. Und Gott schenkt uns
seinen Segen. Das heißt soviel wie:
Ich habe euch lieb
und passe auf euch auf.

Die Deutsche Bibliothek – CIP-Einheitsaufnahme

Ich komme mit : mein Messbuch / mit Texten von Pia Biehl
und Zeichn. von Klaas Verplancke. –
1. Aufl., – Stuttgart : Verl. Kath. Bibelwerk; Innsbruck:
Tyrolia Verlag, 2001
ISBN 3-460-28026-3
ISBN 3-7022-2398-3

Titel der Originalausgabe:
Ik doe mee – Mijn Kerkboekje

© NV Uitgeverij Altoria Averbode, 1993
Layout: Els Vandecam
Illustrationen: Klaas Verplancke

Texte der niederländischsprachigen Ausgabe: Leontien de Leeuw
Ik doe mee – Mijn Kerkboekje wurde in einer ersten (1993) und
zweiten Auflage (1999) bei Uitgeverij Altoria Averbode, Belgien
veröffentlicht

Für die deutschsprachige Ausgabe:
© 2001 Verlag Katholisches Bibelwerk GmbH, Stuttgart
Texte der deutschsprachigen Ausgabe: Pia Biehl
© 2001 Verlag Katholisches Bibelwerk GmbH, Stuttgart

1. Auflage 2001

ISBN 3-460-28026-3 (Verlag Katholisches Bibelwerk)
ISBN 3-7022-2398-3 (Tyrolia Verlag)

Für die Texte aus den authentischen Ausgaben für den gottesdienstlichen Gebrauch erteilte die „Ständige Kommission für die Herausgabe der gemeinsamen liturgischen Bücher im deutschen Sprachgebiet" die Abdruckerlaubnis.